GUN SMITH CATS

3

KENICHI SONODA

CONTENTS

CHAPTER 17
HAMMER LESS

ガチャッ

マークス・グループのジム・ローガンね
警察まで付き合ってもらうわよ
何だ?
何ィ……
あんたバウンティ・ハンターか?
いて…
女のハンターはめずらしい?
ガチャッ
!!あんたラリー・ビンセントかい!?
あらァ知ってるの?
シカゴの女若手ハンターのラリーつったら有名だぜィ
そりゃあもう!!

──で
ミス・ラリー
……
ちょっとした取り引きしねえか？
却下《きゃっか》！
ぐいっ
いでででででで!!
いや あんたにとっても絶対お得な話なんだよ!!
だまってなさいっ!!
おとなしくしてないとひどいわよ！
グレイの情報との取り引きだぜ
え……

脱獄の日程?
そうだ
Colony Inn
MOTEL
$25 SINGLE
グレイの恨みをかっているのは知ってるんだぜ……色々とあったんだろ?
殺しをなんとも思わないヤツだから大変だよなァ
脱獄の日を教えるかわりに逃がしてほしい?
おっとォ こっちはあんたの命にかかわるネタを提供しようっていうんだぜ
もう一件のんでもらわんとな……
オレをつけ狙ってる刺客を始末して欲しい!
刺客?
ああ 今回ちとでかいヘマをやらかしちまってうちの組織から処刑命令が出ちまったんだ……
ヘマって……
パラ…
たった1キロの粗製コカインの密輸容疑でェ?
そりゃオトリだ 50キロの高純度コークはまだ警察には見つかっていなかった……

しかし本命のコークがグレイの組織によって奪われたんだ
ヤツがプリズン内から指令を出していたことはわかってるんだ
なァるほど商売がたきに上物コークをとられたとなったら刺客も送られるわねェ
刺客を返り討ちにした上で オレを逃してくれれば情報と賞金の2倍の金を払う！
おことわりよ！
あたしは用心棒じゃないしハンターとしての信用を失うわけにはいかないの！
ヤツを逃がして自分の周りの人間まで危険にさらすつもりか？

ラリー あんたがグレイの恨みをかってるのはわかってるんだ
そいつが いつプリズンから脱獄するのか……知りたいだろ?
ギャラ…

はやく
ガスを!!
ダッ
OK!
ザッ
カチ…

カンッ!!
パリッ
くっ……!!
つっ……
大丈夫!?裏から出るわよ!
でっ
くそっ!!
大丈夫か!?
!!
ブロロロロ

ドロロロローダッ
キュロロロタン
ブロロロ・・・
チッ!!
何をドジってやがる!
仲間がいやがる!
女だ!!
やつの部下もイロも押さえておいたはずだろォが!!
女の声がしたんだ!!

MOTEL
民間人じゃないのか
オレが投げようとしたガス弾にとっさに当てたんだ!!
一般人やヤツにはそんな腕はない!!
女ガンマンを雇ったか女刑事か……
ガチャッ
ガチャッ
刑事ならモーテルなんぞにゃよらずに署に直行だ
面白くなりそうだ
ガムッ
あんまり遊ぶなよ
ガムッ
MOTEL
追跡できるか?
THX1138
ブロロロロ…
ああヤツはまだあれに気付いてないみたいだしな……

いてて……
ふーん……
44マグナムのホローポイントかァ
でもまァ防弾着に脊椎パッドとは用心深いわねェ
始末屋は背中から撃つからなァ
――でグレイの脱獄の日はいつなの？
おお！取り引き成立!!
さあっすが名ハンターラリー・ビンセント
そう簡単にはいかないわ……
ネタのウラが取れるまで逃がさないわよ
それ以前に刺客が来たらどうすんだよ
オレを見殺しにするのか？
コンコン

来たわよ
ラリー
あらァ
早かった
わね
ガチャッ
こーりゃあ
かわいい
相棒だッ
ヒューッ
やだァ♡
おじさん
たらァ
はい　これ
食料ね！
ドサッ
SHOP 24
別荘？
アジトの間違いじゃ
ねーのか？
別荘を使うのは
久しぶりだけど
迷わなかった？
全然！
失礼ね
もう！
秘密基地って
言うとカッコ
いいわよ

――で
どうなんだ!!
取り引きするのかしねえのか!
情報がホントならするわよ
だからとりあえずグレイのネタを全部教えてちょうだい
それまでの間保護なしか!!
するわよ
ただし極力 誰も殺さないようにするけどね
殺し屋を逃がしたり病院送りにしたらすぐに組織にバレて第2弾が出てくる!
そうなったら高飛びするひまなんぞ なくなっちまう!
殺し屋は2人!! そいつらを殺した上でオレを逃がすことがこっちの絶対条件だ!!

脱獄の日までに必ずくるとは限らないでしょ？
Xデーはいつなの？
……4日後だ
はむ…
その日まであなたを守るわ
ぱく…
そしてその日まで殺し屋の失敗を組織に知られないようにする……
安心できるか!!
あんた本当に自分の立場わかってないわねっ!!
ペタペタ
ピピーッピピーッ♪
!?!
2階の鍵をやぶって侵入したヤツがいるわ
かなり頑丈なはずなんだけど……
!!

やつらだ!!
バカな……いくらなんでも早すぎるわ
車を尾行されたんじゃないの?
それはないわ! 車も地下に隠したし……
ここだってここ1年使ってなかったのよ!!
!! まさか
え?

キリリ…
これは？
2年前
幹部になった時の
兄貴分からのギフト
ロレックスだが…
ニセモノだわ
パキッ
あ！
カレンダーの切り替わりとリュウズのタッチはリアルだけれど……
手巻きに見せかけたクォーツだわ
発信機を仕込むためのね……
もともと信用がなかったみたいね……
くっ！
……
あなたは手錠をかけたままクローゼットに隠れてて！
ミニー・メイ ヤツらは？
もうすぐここまで上がってくるわ
でもカメラはすぐに見つかって壊されて……

弾から見て
リボルバー用のもの
らしいけど……
カキッ
モーテルで
撃たれた時
発射音がほとんど
聞こえなかったわ
サイレンサーを
つけてるって事は
オート……
リボルバー弾を
撃てるオートと
いえば……
多分
デザート
イーグルね……
ジムの防弾着
着けた方が
よくない？
えー…と
44マグ相手に
有効なのは
脊椎パッドと
防弾着を重ねた
トコだけよ
パッドのない
場所に当たれば
骨折か内臓破裂
……
動けなくなれば
とどめを
刺されるわ……
ゴトッ
動きがにぶく
ならないように
する方が得策よ
ドン！
きたわ！
すぐに
ドア前よ
もしも
ガスがきたら
すぐに息を
止めるのよ！
わかってるって！

ゴゴン

ドッ
くる！
ギ…
……!?
ゴッ
ぞくっ
ゴゴゴッ

ガゴン!!
ヤバイ!
体勢をくずされた!
先制される!?
ザッ

バババス
きゃっ！
ババババス
ミニー・メイ!!
はアッ!!
バヒュッ!!
はっ！

バーンッ
バーン
どー!
タパッ
タパッ
ドッ

ハッ
メイ!
ズガーン!
ミニー・メイ!!
ばっ
ゆらァ…
つん!

どさっ
はーい♡
あっらー……下半身コゲコゲ
ミニー・メイ何使ったの？
バラ弾抜きの弱装弾だったんだけどまたの真下で破裂して……
タマにショックがモロに……
あは……なアるほどねェ
感謝するぜ

取り引きは？
無しだ！お前ら2人を殺してこいつらにとどめを刺して……
オレは逃げる
そう……わかったわ……でも
殺す前に一つだけ教えてよ
グレイが脱獄するのは本当はいつ？

3日後の晩に運び屋の車で州境を越えるんだ……
それじゃあ……
56184
グッ
ラ……
ドン!

………
不……発!?
ハンマーの折れた銃が撃てるわけないでしょ
さっきの射撃で刺客のハンマーは撃ち折っていたのよ
あ!!
……
こう うまくいくとは思わなかったわ……
でもおかげで正しいネタが聞けたものね
ありがと♡

CHAPTER17／END

CHAPTER 18
BIG GAME

プルルルッ……チャッ
ハロー！どちらさん？
ラリー・ビンセントよ
忘れたとは言わせないわよ ミスター・バンデット！
とんでもない！よォーっく覚えてるぜ
しかし……
もちっと色気のある電話だとうれしかったんだが……
ま 何にせよ今夜は都合が悪いんでな また今度にしてくれ
今夜グレイを運ぶって事でしょ？

おいおい
どこの
情報だア?
捕まえた!
ザーッ
グレイとは敵対してる
マークス一家の情報よ
こんな
バレバレの計画
実行するつもり?
情報もれ
ぐらいは
予想
してたさ
いーかげん
人の仕事に
ケチつけるの
やめろよな

サツやマフィアの追っかけにはなれてる
それでも運ぶのがオレの仕事だからな
まだビーンらしき車は 見つかりません
GT500なら見つけたんですが……
ラリーか……
はい!
ご苦労さんまた連絡してくれ
やっぱりヘリ飛ばした方がよくないか?
しかし脱獄させてから捕らえられればビーンも押さえられるしグレイの罪も重くできる
捕らえられたらの話だろ!?ビーンはまだ一度も捕まった事がない……
ILLINOIS MAX 007

どう言う事だ？まるでオレがサツに捕まるのを心配してくれてるようだが……
こないだのガキ助けた礼ってわけか？
ビンゴ！

また土曜の晩にでもかけてくれ
ガチャッ
ザッ
ラリー！見つけたわよ！
どこ？
刑務所正門西約500メートルの駐車場跡よ
コーベットじゃないけど電波の方向と強さから見て間違いないわ
これから近づいて発信器を付けてみるわ
無理をしないでよ
さて……と
おい！

え？
！

ラリー!?
前の車にグレイがいた!
追えっ!!
グレイを乗せた車はプリズン南側を西へ逃走中!
コォオー…ン
ラリーの車がハリ付き過ぎだ!!
おい! ラリーに引くように言ってくれ!!
ハイウェイへの道を封鎖しろ!
ドフォッ
キュキュキュキュ
わかってる!!
ピッピッピッ
話し中!?
プーップーッ

プルルルルッ
プルルルルッ
くっ!……
チャッ
ハロー
!!
グレイ!?
ご明答だ
話ができて うれしいぜ 左手に しみる声だ
あの娘《こ》は……メイは どうしたの
安心しろ! 後ろにいる
しかし まァ……
手ごろな サイズのせいか 捕まえやすい よなァ……

ビーンにかわって！
!!
!!
メイを返してっ!!
プロの運び屋ともあろう者が人質——
気を付けろこの先橋の上道路封鎖されてるぞ
!!
来たぞォ！
かまえろォ!!
ばっ!!

なにイ!!
ぐおっ

ゴッ
フォッ
ザギュッ
ゴオッ
ドムッ
ザキュッ
ミス・ラリー！この子を返してもいいが条件がある!!
それじゃ営利誘拐犯じゃないの!!
金じゃない!! 追っかけをやめるんだ！
え？
このままチェイスを続けるってんならこっちに乗ってる方が安全ってもんだ!!
ダロロロロロッ
ブォンッ

おいビーン！きさま本気か!?
何が!?
ばっ！
ドスッ
このガキは貴重な保険だ！いざという時のためにな
ん?!
目的地まで乗せるべきだ!!
当初の予定に人質はなかった!!
第一保険が必要なほどオレの仕事はハンパじゃねェ!!
しかし……!!
ここで降りるかァ!?
くっ……
OK！
ビーン！チェイスはやめるわ！その子を放して!!

!
すまんが出来なくなりそうだ
それでも男ォ!?
目の前の異常な速さのトレーラーだ!!
ガーッ
ブオ
ゴッ
ッ

ガキィッ
キカッ
ばっ
ゴッ★
よっと!
ゴクッ

キュワワワッ
↓マズルブラスト
パキ
きゃっ!
ザクッ
マークス一家に情報がもれてるって言ってたな!?
ヤツらか?
間違いねェ!!
一気に前に出るぞ!
ぶっちぎるゼィ!!
ゴッ
ヒュゴオオオッ

フオッ
ゴウッ
!!
ぐわっ
うおっ!!
あっちも過給器つけてやがる
はアーーっ
ははは面白《おもしれ》ェじゃねーか!

切り返せ！
女の車を狙うんだ!!
よォし！
まだ撃つな!!
バババッ
ゴキッ
はずれたァ!?
まだ撃つなって言ったろうが!!
さっきの反動でまだロールがおさまってないんだ!!
もう一度狙え!!

横ゆれがひどすぎる!!
なんとかしろォ!!
ソロサーンS18対戦車ライフル……
50年前の芸術品だわ
マガジンはあのあたり……
ごめん!
BRD 529

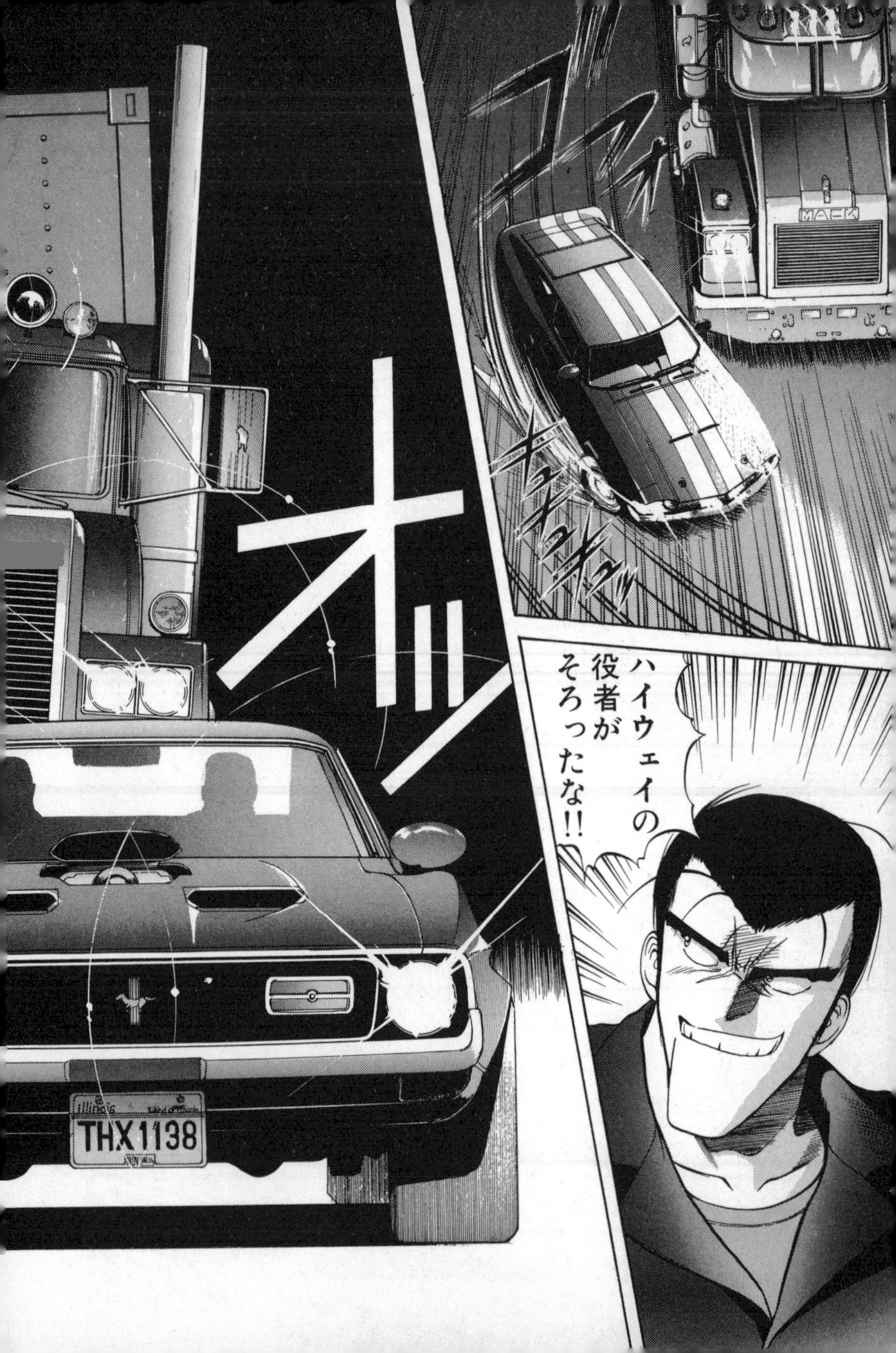

ハイウェイの役者がそろったな!!
オッ

BRD529

しょせんはトラックだ!!このままちぎれ!
カキー!
ゴッ
うわっ!
トレーラーを捨てて加速したか
やるねェ
ファーン
ファーン
ファーン
ゴオッ

!!
キュワッ
152
CHIC
CHICAGO POLICE
CHICAGO POLI
くそっ!
チャッ
バンバンバン
バンッ
パシ
パシ
パキ
パキッ
MACK
防弾!?

おい！ガキが持ってた手榴弾をよこせ！
それならトラックをやれる！
はいよ！
あたしにやらせて!!
それはベアリングや破片は抜いてある特製よ！
普通に使ったんじゃ全然効かないわ！
あたしならトラックを止める自信あるわ
おい渡してやれ！
バカ言うな！

逃げ場のない車内でそれを使うとも思えん
渡してやれ!!
ガーッ
メイ!
ラリーー!トラックの左タイヤへ3ツ玉!
はいっ!
キンッ
ゴキッ
コッ
ズバババーン
ガッカカカッ

ドド
やったか!
ゴォ…ン
MACK

ガバッ
!
早く!!
がっ
きゃっ!!
きゃーーっ
きゃーーっ
きゃーーーっ!!

CHAPTER18／END

CHAPTER 19
SIG-SG550

ぼっ
ボスッ
きゃっ
ザザッ
バクン!
キュワラララッ
このガキィ!!
ガラスの破片で手足のガムテープに切れ目を入れやがったか……
今度同じような……
グレイ!!

どういうつもりだ!!
走ってる車に乗り移るなんて危険だろうが!!
それを止めただけだぜ!!
きさま……
ガッ
!!
ガガガガガガガガガガガガガガ

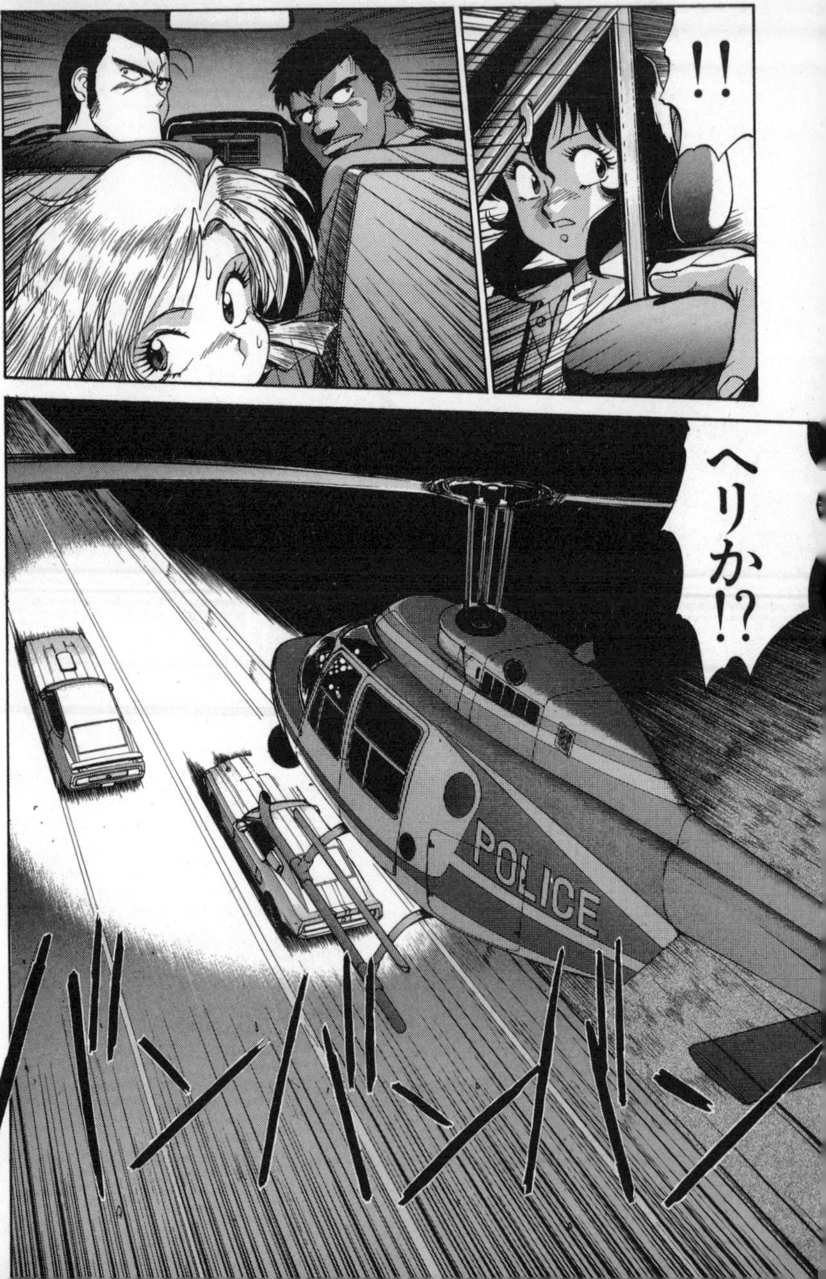
!!
ヘリか!?
POLICE
バババババ

ビーン！
まさか車止めて
ガキを降ろす
つもりじゃねェ
だろうな!!
あのヘリが
マークス一家の
物かもしれん
!!
止めた
とたんに
蜂の巣に
されちゃ
かなわんぜ
わかってる!!
ゴッ
ドッ
きゃっ
!!
フォゴッ

逃がすもんですか!!
いくらチューンしたマッハ1っていっても……
シェルビーコブラはちぎれないわよ!
SHELBY COBRA

スピード上げろっ
引き離されるぞっ!!
これでせいいっぱいです!
おい!30マイルは速度差があるぞ!!
ヤツら170マイルは出してるって事ですよ!!
バカな!! 下からの情報だと2台とも20年は昔のムスタングだぞ!!
フォロロロロル♪
ハロー
ラリーか!? オレだ!!
すぐに追跡をやめろ!! あとは警察にまかせるんだ!
上のヘリは警察の?
ああ! しかしオマエらそのヘリブッチギッてるぞ!!

あと10マイルほどでロードブロックにかちあうはずだ！10番ゲージをかまえたポリスが集まってる!!
巻き込まれたら死ぬぞ！今すぐ止まれ！
ヤツラの車にメイが乗ってるのよ!!
何だとォ!?
封鎖区のポリスに知らせて 発砲をやめさせてっ！
こっ……バカヤロオっ!!
ごめん！とにかく……
ごわっ!!
くっ!!
ズバキュッ

きゃーーっ!!
一般車《パイロン》が増えてきやがった
大丈夫か!!
速度差約90マイル……
ニヤ…
150マイルのハイステップを味わえるぜ!!
てめェらベルトしめてろっ!!

逃がすもんですか!!
ヒュゴォッ
なっ……
ひっ!
ゴッ
わーーっ!!
キュキュッ
ガッ
ドッ
BRD 529

キュバッ
ザギュッ
ドヒュエオ
くっ!!
……

TOYOTA
わっ……
わっ!!
ザッ
MON
BRG 529

ドキャキャキャキャキャッ
おしいぃ!
くっ!!……
来やがった……
コォォ……
来たぞォ!
ジャキッ!
絶対通すな!
STATE TROOPER
RES 10

イリノイじゃ土手を使ってパトカーを飛び越したらしいが……
ニヤ
ここにゃそんなもんはねェ……
いいかっ！マッハ1には少女が人質に乗ってる！
停車するまではエンジンを撃ち抜くな!!
イエッサー
イエッサー!!
イエッサー!!
!!
ドギュッ
ガクンッ
ぐっ!

ゴクッ
おい!
あきらめるつもりか!!
まさか!
なにっ!?
クキャキャキャキャ
Uターンしやがった!!
追えっ!!
後続の応援とはさむぞ!!
ザッ
……ふうっ
キイイッ

ゴオオオオーン
ファーン
ファーン
フィーン
フィーン
バカヤロウ Uターンして どうする!!
狙い通りだ!
助かるゼィ!
ギュッ
目の前で Uターンされたからって……
素直に……
ザザッ
ブロックをといて……
ついて来てくれるんだからな!!
ギッ
キュアーッ
!

ゴグッ
また止まったぞ!
横にもう1台……ん!?
フォゴッ
おわっ!!

とおっ!
スゴイ!
加速しながらパトカーの群れをぬうように……
どちらも同じ古いムスタングだというのに……
腕の差!?
勝てない!!

ナロオ!!
わっ!!
ギュニッ
ゴオッ
オォォォ
障害があるたびに引き離されていく……
!
明るくなってきた……
車以外の腕で勝負をしなければ

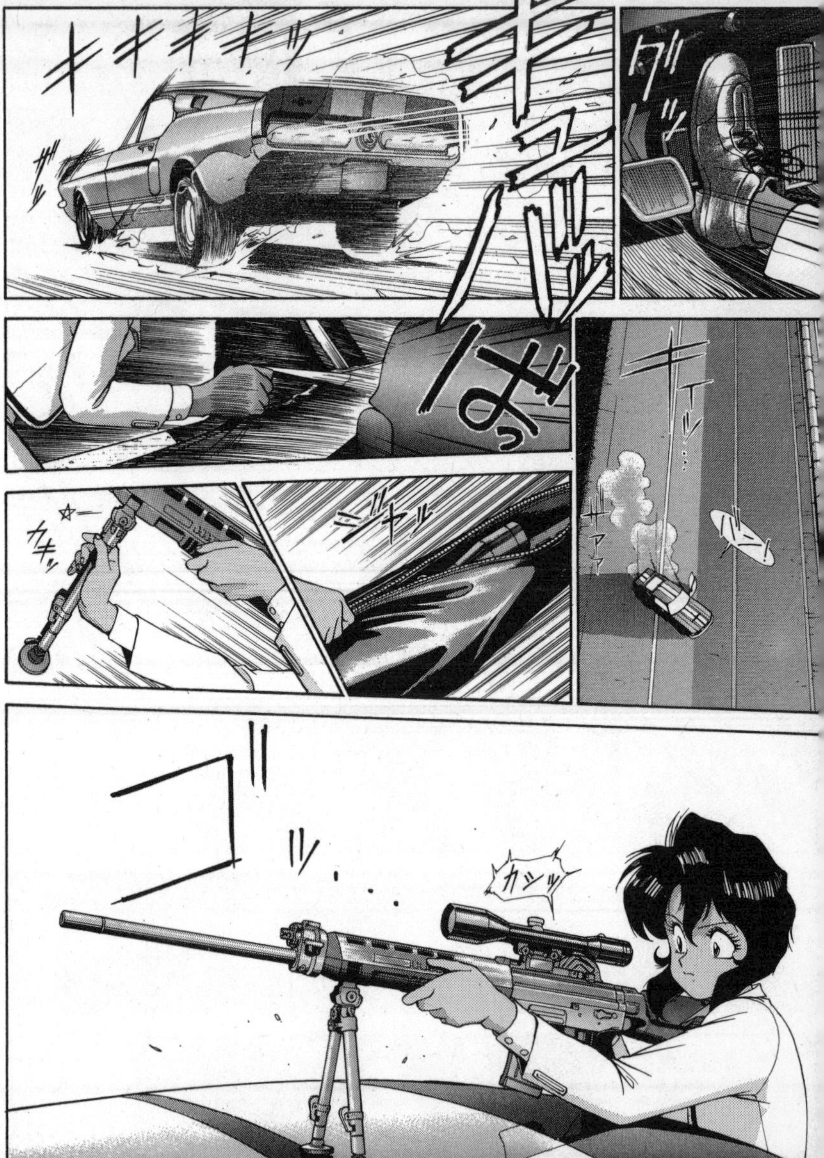

グッ
キュバッ
キキキキッ
ザッ
ばっ
キィル…
ザァァ
バンッ
ジャル
カキッ
ゴツ…
カツッ

ぐ……
どんどん小さくなっていく……
早く撃たないと！
体にエンジンの振動が残っている……
鼓動よしずまれ!!

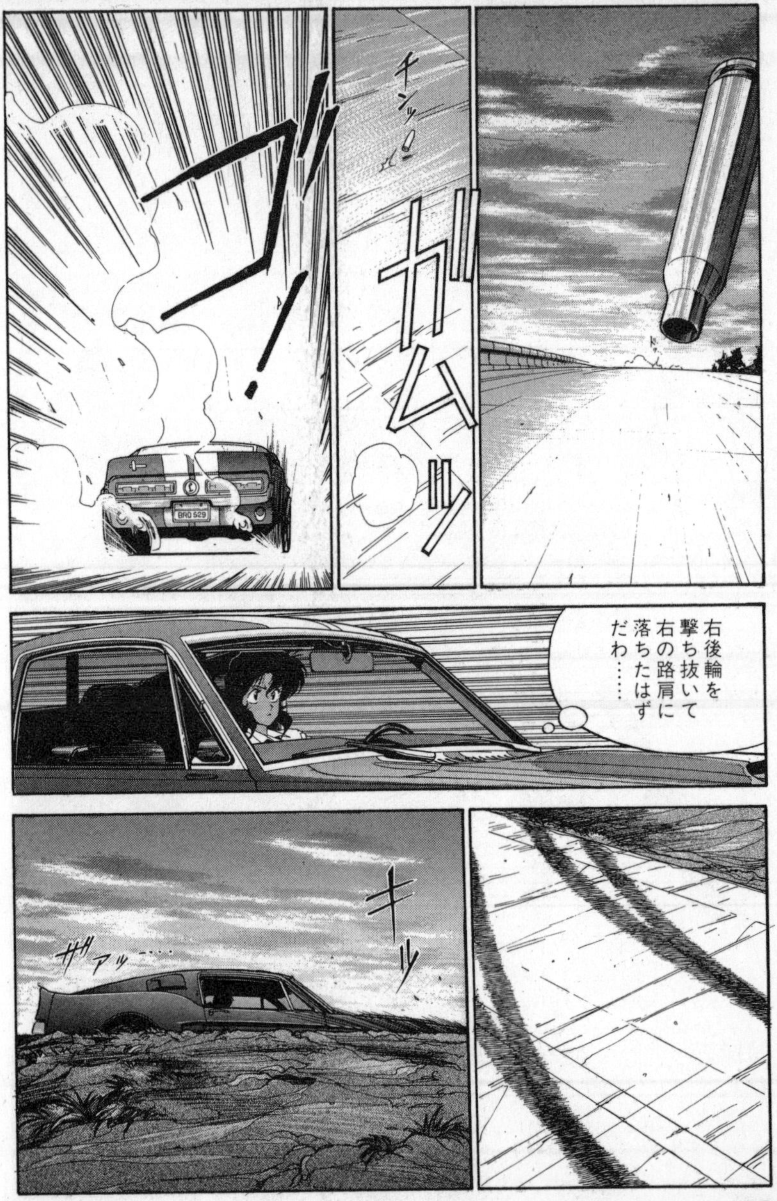
チンッ
ガムッ
ブン！
右後輪を撃ち抜いて右の路肩に落ちたはずだわ……
キッ
ザアッ……

ばっ
ザッ
ドロドロ
ドロドロ
ドロ……

銃を捨てな!
んーっ
それと車をもらうぜ!
人をしめ殺すよりも……
弾の方が速いって事知らないの?
しめるんじゃねェ……
一瞬で首の骨をヘシ折るんだよ!!
く……
ドサッ
OK……
パ
パ
!!
あ……
ドロドロドロ
ドロドロ…

……
分離帯のかげに隠れてたのね……
当たりだ
くっ……
全部言う通りにしたわ！その子を放して！
バカかてめェは
誰が取り引きするって……
ぐ…
言ったァ
!?

やめてェ!!
う…
気が変わったぜェ!!
殺してやる!

CHAPTER 20
LOST

はアっ!!
グレイ!
ぱしっ
パ パ パ パ
ダッ

ばっ
パトが追いついてくる!!
出すぞ!!
なにイ!?
おいっ!!

メイー!
ラリーっ!!
パシッ
つっ!!
ぐいっ
シッ
きゃっ
メイ-!

ばッっ
くっ！
絶対に……
シュッ
……逃がす
シャキッ
もんですか
!!
パシッ
フォォォォ……
!!

バラバラバラバラ
バラバラバラ
ファーーン
フィーーン
フィーーン
フィーーン
フィーーン
そこの女ァ
銃を捨てて
地面に伏せろ!!
ライアット
よこせ
55号までは
先の車を
追え!!
女ァーーっ!!
早くしろォ

ん……
ふんっ
げげっ
あの女が右手に25口径をしこんでるのは知ってたからな
ギリ…
こんな豆鉄砲来るのが分かってりゃ筋肉で防げる
甘《あめ》ェぜ
ぞく…
ほれ！鼻血……
心配すんな嬢ちゃんに手ェ出す気はねェからよ
グレイにももう手は出させねェからよ

ほォ
ガキの前だと
正義ヅラかよ
ケッ
てめェは
だまってろよ
ここで
これ以上
トラブると
計画が全部
パーだぜ
今のところ
荷物が1ぴき
増えた事と……
車が変わった事と
それによる
ロスタイム以外は
全て計画通り
なんだからな
それにしても
この車は
いいな!
これなら
ロスタイムも
すぐに
取り戻せる
パワステを
付けてんのと
クラッチに
油圧を付けた
のは　気に入ら
ねェが……
ゴクッ
シフトを
オートマに
してねェのは
上等だ!
シェルビーコブラ
GT500か……
気に入ったぜ
賞金稼ぎには
分不相応な
車だな

どーでもいいけどとっとと急げよ
ゴオオオーーーン
荷物はだまってろ!
IS POLICE
ふざけるんじゃないわよっ!!
あたしらの管轄をひっかき回したあげくにスポーツカーを与えちまうなんて……
ヤツらとグルじゃないの!?
お前の州じゃどうか知らないけどね!
警察がみな賞金稼ぎに協力的だと思ってんの!?
………
………

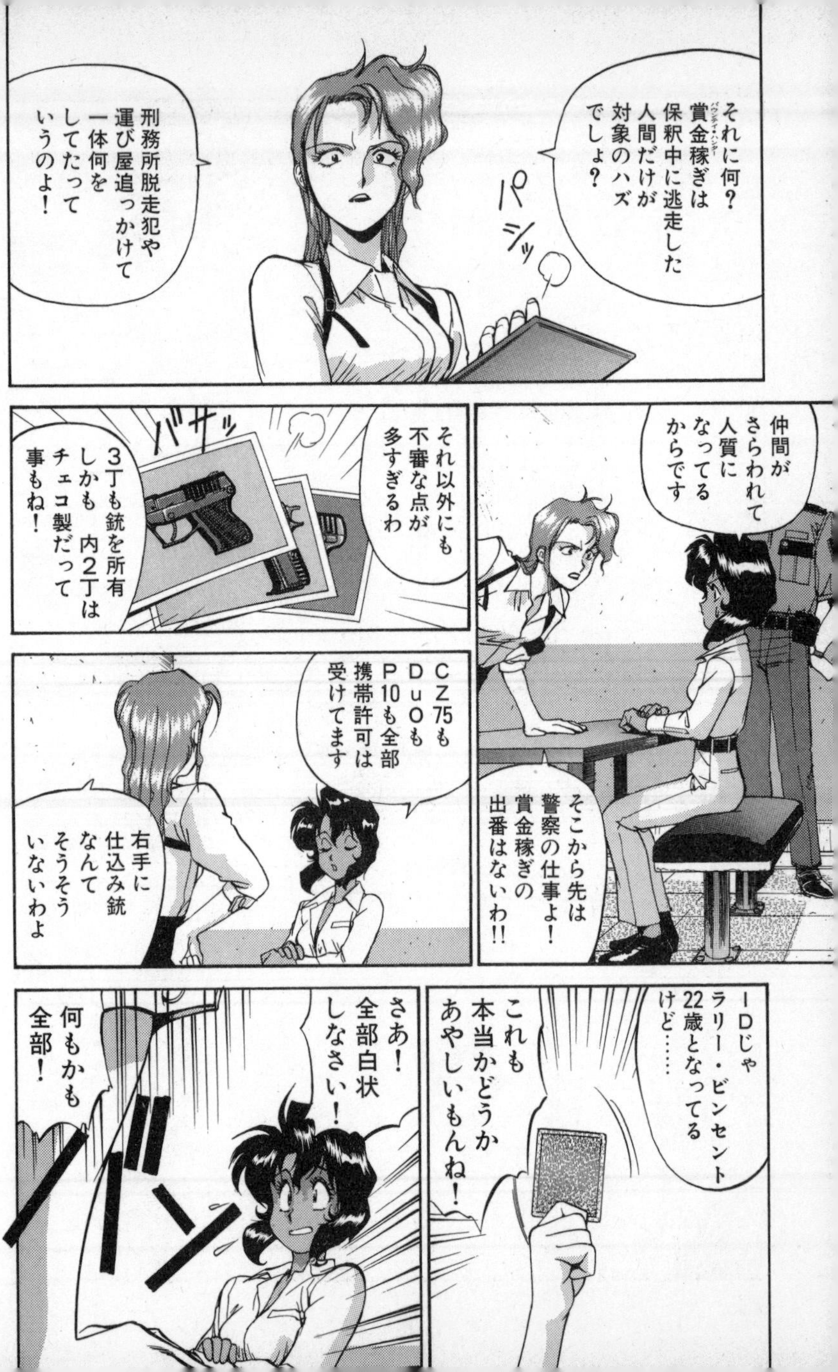

それに何？
賞金稼ぎ《バウンティ・ハンター》は保釈中に逃走した人間だけが対象のハズでしょ？
パシッ
刑務所脱走犯や運び屋追っかけて一体何をしてたっていうのよ！
仲間がさらわれて人質になってるからです
そこから先は警察の仕事よ！賞金稼ぎの出番はないわ!!
それ以外にも不審な点が多すぎるわ
バサッ
3丁も銃を所有しかも 内2丁はチェコ製だって事もね！
CZ75もDuOもP10も全部携帯許可は受けてます
右手に仕込み銃なんてそうそういないわよ
IDじゃラリー・ビンセント22歳となってるけど……
これも本当かどうかあやしいもんね！
さあ！全部白状しなさい！
何もかも全部！
ドン

最初っから完全に疑ってるんですね……
信用できる身元引受人でもいれば別だけどね！
いるぜ
遅くなってすまんな
ロイ！
え？

え――っ!! ロイの奥さんの妹オ――っ!?
でかい声出すなってばよ！
でもミネソタで顔がきくなんて思わなかったわァ
ありがと♡
持つべきものはポリの友人ってな
そのかわりと言っちゃあ何だが……
え!?
この後はもう全部警察にまかせろ
そんな
脱獄犯の誘拐事件だから賞金稼ぎの領分じゃない！
ガチャッ
でも……
警察もやる時ァやるぜ
2時間前にカナダ国境州境全体の検問を強化した上周辺警察への連絡もバッチリだ……

……N・Y《ニューヨーク》よ
なにィ!?
これ……
グレイに車とられた時にメイが手渡してくれたの
しかし逃走方向は北西だぞ
ガムテープ…?
ビーンはグレイを乗せる前に警察におっかけられるのは予想してたって言ってたわ
チェイス中の逃走方向なんてあてにならないわ
しかしそれだとUターンする事になるが……
一番あやしまれないのは大型トラックの定期便に車ごとかくれる事だと思うけど
時間的に該当しそうなトラックの便をリストアップ出来る?
そりゃあ出来るが……行き先なんてけっこうバラバラだぞ
港に着くヤツにしぼれると思うわ
港ォ?

4日前そちらに引き渡したマークス一家のジム・ローガンの情報によるとグレイはコーク50キロを持ってるはずでしょ？
——となると空路はまず有りえない……海上と見るべきだわ
N・Yまでは飛行機で先回りするつもりか？
止めてもムダよ……
メイちゃんが殴られたって言ってたが……
個人的怨恨じゃないだろうな……
CAMEL MILD
……違うわ
コカインを大量に持った凶悪犯のヤツを逃がしたくないだけよ
なら約束してくれ「決して殺さない」……と
そしたらFBIに頼んで情報提供者として現場に入れるようにしてやる
ありがとう……

ブロロロロ…
この港に来るコンテナは全てここに集まる……
ガチャッ
チャッ
ミネソタでやつらをロストしたのは25時間前だったね
7時間前から到着したトレーラー全部地元警察にチェックさせている……
それ以前のトレーラーは？
定期便のトラックがきばった所で18時間を切るのはまず無理だよ
大丈夫！わがFBIも映画みたいには無能ではないからね
そう願いますわ……

→2キロほど現金に変えたわけです。

よォし
ビーン！
取り引きだ
ドアしめて
くれや
↑きかえました
ばっ
今回の
仕事料10万と
前回の違約金
3万だ……
OK！
ガチャッ
帰るぞ
嬢ちゃん
あ
え……
そのガキは
置いてって
もらうぜ
しつこいな
お前も……

そいつと
その相棒には
色々と個人的な
恨みがあってな
……
置いてきゃ
プラス1万
払うぜ
俺ァ
誘拐犯でも
人売りでも
ねェんだ
運び屋
だぜ
お……
!!
きゃ……
グレイ!!
きさまァ
落ちたら
ひろって
やるよ!

金だけなっ!!
ドゴッ
ばっ
だんっ
!?
ハッ
耳ふさいだ方がいいわよ
何ィ?
パーンッ

ドオンッ
どうした!
積み込み中のコンテナが爆発したようです
規模は!?
かなり小さいようです!ピンクの煙《スモーク》がかかって……
ヤツらのか?
あのへんのコンテナは半日以上前についたもののはずですが……
すぐに調べ……
がくっ

バゥオッ
わっ……
ピンクのスモーク……メイの仕込み爆弾だわ
くそっ
スティーブ！オレの車の女を捕らえろっ
あれか……
ばっ
ブゥン

きゃ……
逃げろ!
今の爆発で港のポリが集まって来るはずだ
保護してもらえ
トッ…
……ビーン……さん……
ガチャッ
!
バスッ
ゴン
きゃっ!!
カラカラカラ…
ミューッ
つっ!!

ヒュ…
!
ゴッ
ぐっ!!
この船の責任者は誰かっ!?
ガラララララッ
おオっ!!
警察だ!
火災でも起きたのか!?
いやーすいません従業員が信号弾暴発させちまって……

ばっ！
ここに小さなブロンドの少女がいるはずよ
どこにいるか言いなさいっ！
カン カン カン カンカン
ビーンさん！
カン
知らな……
いっ！
バシッ
どっ
ばっ！
タンッ
くっ
ビーンさん！
ミニー・メイっ!!
ばっ

来るなっ!!
ビクッ
逃げろと言ったはずだぞ!
ミニー・メイ!
タッ
ラリー!!
なにやってんのよ!すぐ逃げるのよっ!!
ラリー・ビンセントォ!!
グレイ!
ダン
こんなに早く再会できるとは思わなかったぜ
オレの熱い気持ちを受け取ってくれ

CHAPTER20／END

CHAPTER 21
SLIDE STOP

ふんっ!!
ヒュッ
!!
ばっ
ザッ

ぱしっ
ドガッ

やった！
確かめてこい！
ボス！
ん……
カンカンカン……
……
……
今度は本物のサツらしいな
おい！
今おりたトムにすぐに片付けてそのまま隠れるように言ってこい
はい
お前は片付けの時間をかせげ
はい
おい！
ん!?
サツが来たぜ死体と一緒にすぐ隠れろってよ
手伝えよ
!!

これは……!!
フックですき間が……
偶然じゃねえのか!?
ギ…
いや!下には何もねェ!3人とも逃げやがった!
どこへ!?
ガチャッ

だから信号弾の暴発だって言ってるじゃないですか！
色ちがいの2発ってのはどういう事だ!?
銃自体イカレてたんですよ！
予備弾をつめかえたとたんにまた暴発しまして……
とにかく調べさせてもらうぞ！
待って下さいよ 今 信号弾がまだ甲板の上を火ふいて転がってるんで……
煙がおさまるまで 5分か10分ですから
シュシュシュ—
カラカラカラ
……いいだろう 待たせてもらうぞ
すんませんねェ……どうもお騒がせしちまって……
ボーマン捜査官！煙が晴れてからコンテナ船内を調べます
あと2人ほど回して下さい
よおし！4人回してやる
いいか!? まず 真っ先に例の女ハンターを探せ!!
オレの車がその船のタラップ下にある以上はその中にいるはずだ！
ワッパをかけてもかまわんぞ
もちろんグレイの件についても調べを入れろ！
終わるまで船への出入りはシャットアウトだ

ボーマン捜査官
ん？
グレイは関係ないんじゃないですか？その船のコンテナはここに着いたのが早すぎます！
確かに……ミネソタからトレーラーに隠れて来たとしたら計算が合わんが……
トレーラーが2台？
そうだ
タパッ
ミネソタを経由する定期便を2台……
数時間の間をおいて空荷《からに》のハコを引かせたんだ
ミネソタで車ごと乗り込み州境を越えたところで降りてコブラをとばした……
先発のトレーラーに追い付いた所で乗り込んで……港のコンテナ置き場に入ったんだ
お見事と言いたいとこだけど……

そうだな……
この子に
ガムテープの手紙
で知らされるとは
思わなかった
……
はい!
できまし
たァ♡
助けて くれて
ありがと♡
チュッ
♡
ありがと
よ
嬢ちゃん
借りが
出来たわね
キュ!
フック
引っ掛けに
もどらなければ
頭を打たずに
すんだのに……
お前の車には
世話になった
からな
あち…
ここか……
ここの階段に
血が落ちて
いたって事は
ここしか
ないはずだ
ボス
ザッ
最下層の
第2貨物室です

ガチャッ
!!
やはり来たわね……
チキッ
大丈夫よ
トラップしかけてあるもん
チキッ
ギ……
ズンッ
やった！

くっ!
がっ!
はアッ……ぐ
動かないで!!
ぱっ
銃から手を放して!
早く!!
くそっ
メイ!銃をひろって!!
よいしょと…
ラリー!後ろっ!!
!!

ドンッ
パンッ
ガキィ

バンバンバンッ
バンバンバンバン
バンッ
くォ……
フロアに落ちた時
クレーンフックを
腹にくらったんだったなァ……

※本来散弾を撃つためのショットガン用に作られた一粒弾の事

バシッ
なにィ!!
な……なめるんじゃねェ!!
ぐっ…
う……
ダンッ
きゃっ
ゴッ
動くな!
ガキィ!!
これを見ろ!
引き金を引いたらこいつを殺すぜ!!
さ こっちへ渡しな!
SHI

あ……
くぃっ
!
バン
パシ
パシ
パシッ
ババンッ
おっ……!
ばっ
バン

メイ！
撃ちな
さァいっ!!
ドラララン
おっ！……
お……
うっ
あ……
おあああ
あああ
ガキン！

ィィイイィイイ……ン
バカが!!
ドスッ
射出ブレードってな!
パシッ

あばよ!
カチャッ
グレイ!!
!!
ばっ
ほォ……
はァ
はァ
はァ
アーマージャケット着てたらしいな
しかしスラッグくらって立つのがやっとじゃねェのか?
はァ
あの銃は確か左回転のリボルバー……

薬室《チェンバー》右側に残弾があるはずだわ……
バンバンッ
ドンッ
うオっ!!
バンッ
ボッ
ガシャッ
バッ
うおおおっ!!

バババババンババン
バババババババン
カシッ
チキッ
カキン
パシッ
ジャコッ
ばっ

これが最後の警告よ
銃を捨てなさい
はっ
はァ
はっ
……お前にとばされた左手首がうずくたびに見る夢がある……
両手足首を切り落とされたお前を犯しまくる夢だ……
ラリー・ビンセント……
愛してるゼエ!!
バキッ

……借りを返されちまったな……
オレがグレイとからんでる間に逃げられただろうに……
ハンターが逃がし屋に借りを作っちゃおしまいよ
……ちげェねェ
はは……
カンカンカン
銃声は最下層のあたりだ!
いそげ!
ラリー
やっとポリスが来たみたいよ
……逃げられる?
そのつもりだ

今日だけは無事に逃げられる事を祈ってるわ
気を付けて……
捕まらないでね
なァに警官の車でも借りて逃げりゃ大丈夫さ
シカゴから来たロイ・コールマンですが……ボーマン捜査官は？
ガムッ
車盗まれてパトで帰ったっつーことで
バッカでー

CHAPTER21／END

CHAPTER 22
MISTY BROWN

CNNの方?
ミスティ・ブラウンさんですね
ディレクターのジャック・ノートンです
OKですこれを……
コト…
例のテープですね
ガチャッ
ガチャッ
EXIT

!?
あ!……
オリジナルテープを渡してもらおうか……
あの男みたいになりたくなければね……
チャッ
OPC-707
え?
キュロロロロロッ
ズオンッ
ILLINOIS

ドオンッ!!
ゴッ

危ないっ!
かわいいな アンタ……
ガラララッ
オリジナルテープはどこだ?
パリーン
ワーッ
キャーッ
カランッ
さ……さっきの男に渡したわ……
さっき見てたら1本しか持っていなかった……
オリジナルは3本あったはずだ

付き合ってもらいましょうか……
ガチャッ
ばっ
ほんとに知らないんです！あたしが手に入れたのはあのテープ1本だけで
……
信じると思うか!?
オリジナル3本が確認されるまでは生きて帰すつもりはない……
ドラッグを使ってはかせるという手もあるしな

このままのポーズで専用通路から出ると不審に思われるんじゃないの？
おろしてもかまわんぞ銃がポケットにあるからな
はっ
止まれ！

はっ
バンッ
!
ガシャッ
くっ！ビールのケースか……
Budweiser
KING OF BEERS

爆弾テロ……かな?
……にしても
遅いっ!!
せっかく出所祝いでレストラン予約してあるのに……
ミスティったら場所まちがったかしら……

まさか……
あの爆発……
ラリーっ!!
がばっ
ミ
ミスティ!!
早く出して出して出して出して出してーっ!!
え?
車車車車くるまーーっ!!
ちょっとどーいう……
キュボッ
コッコッコ.ココココ
早くーっ!
ガムッ
ガムッ
SHELBY
G.T. 500
Illinois
BRD 529

まさか
昨日出所した
ばっかりで
何かしたんじゃ
ないでしょう
ね!!
事件に
巻き込まれた
のよっ!!
本当!?
キュキュキュッ
ブオンッ
早くーっ!!
ドロロロロロ…
ちっ!!
……
……で
あの車の
爆発とは
何か関係が
あるの?

どうなの？
TV《テレビ》局の人よ……
あるマフィアに関するテープを手に入れてコピーをさっき渡したんだけど……
すでにかぎつけられて……
ちょっとちょっと!!
ミスティ!! あなたマフィアを敵にまわすのにあたしに協力しろってんじゃ……
お願いラリー あなただけが頼りなのよ！
あたしの持ってるテープが 全部公になればマフィアのボスを有罪にできるのよ！
ラリーにだって正義はあるでしょ？

警察に言えば？
言ったわよ！
プリズンに入ってた時に元々のテープの持ち主が警察にコピーを渡したわ！
それじゃ……
警察は全然動かず！
その人は所内で〝事故死〟したわ！
その後……弁護士を通して警察に聞いたんだけど……
そんな証拠品は受け取ってないって……
それで まずマスコミに……？
グス…
うん……
ガロロロロロロッ
ゴッ…

ゴ
ゴ
ッ
・・・
こちらフィフティーズ！〝子猫〟を見付けました
〝声〟の方向から見て間違いありません
そっちの中継でこちらも声を聞いてる
指示を出すまで尾行しているんだ
了解
──で
どうするつもり？
もう一度TV局にコンタクトをとっても同じ事にならない？
だから……ね？
ラリーお願い！
ぐっ

いい刑事さんを紹介するから保護を求めなさい
そんな！ラリー……
危険すぎるわ！
バン！
相手は警察に圧力がきく上に爆破も平気でするごり押しマフィアよ！
それを「敵にまわすから手伝って」なんて！
もういい！わかったわ!!
あたし一人でもするもん！
ミスティ……

オリジナルテープはどこ？
ラリー!!それじゃ……
勘違いしないで
FBIに直接手渡すのよ
州警や市警ならともかくそこまで圧力の及ぶマフィアなんてそういないわ
FBIにはコネがあるし確実に受け渡されるまでは付き合ってあげるわ
ラリー……
わけありなんでしょ？あとで聞かせ……

ありがとラリー♡
ちょっ……
やめなさいって!!
ケチ…
危ないでしょっ!!
いーからテープは!?
は はい はいはいはいはいっ!
タワー銀行の貸し金庫よ
ゴソッ
鍵はえりの下に隠してるからね
ちゃんとここにある……

え〜と…
鍵と……。
何？これ……
コードついてる…
盗聴器!?
盗聴器を仕掛けた時に気付くべきだったか……ミズ・ゴールディ
わかってる！聞こえた
ミスティと鍵を押さえろ！殺してはならんぞ
もう一人は？
殺《や》れ！
了解！

どーしよ……ラリー
ミスティが今鍵を持っているって知られたと言う事は……
!

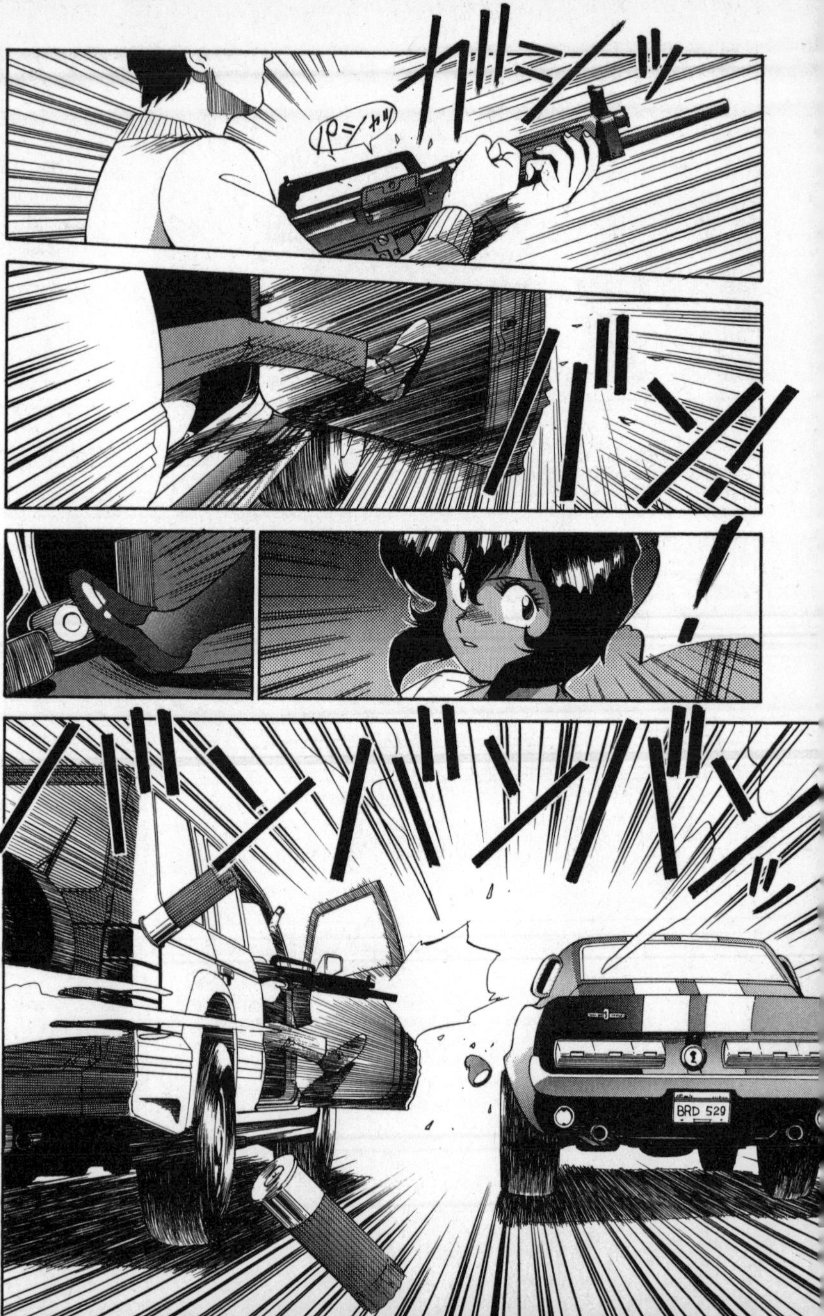
ガシッ
パシャッ
バン!!!
バンバンバンッ
BRD 529

くっ！
ちっ！
後ろにまわりやがった!!
ミスティ！ベルトしめてて!!

ばんっ
バシャンッ
!!
ボガンッ
きゃ――っ!!

お次は
エンジン
っと!!

ぐっ
うおっ!
どごっ
くそっ!!

キュワッ
ガチッ
ザシュッ
キュロロロロッ
ダンッ

ギャッ

ザー
ドガガグ

CHAPTER22／END

CHAPTER 23
DECOY

ドジふんだな ミズ・ゴールディ
テープが手に入らんどころか うちの者2人も 病院送りとは ……
お国じゃ 「鉄のゴールディ」 なんて言われてる らしいが……
ギュッ
お気軽なイタリア流で うちの部下を粗末に 使いつぶすのは がまんならん!
ドジ踏んだのは あんたから借りた 2人だがね…… Mr.《ミスター》マクミラン
駅ビル内で 最初に 取り逃がしたのは お前さんだろうが!

ビルを出た時点で
わざと逃がして
泳がせて
情報を早く取る
つもりだった……
それに
あんたの部下は
車を止める際の
手ぎわが
悪すぎた
だから
捕まえて　すぐ
盗聴発信器を
しこんだんだ
撃ちまくる
しか能のない
ヤツらが
ベッド送りとは
良い事だろ?
お前の組織の
コークを
シカゴで
さばけるのは
誰のおかげだと
思ってんだ!!
ほォ……
弱小組織に
コークを大量に
うばわれて
よわってたのは
誰だった
かな……
バン!
マーケットあっての
コークだ!
どこよりも
高いレートで
買い上げてるうちを
見下ろすような
言い方は
やめてもらおう!
そう……
あんたとうちは
一蓮托生だ
特に今回の
ビデオの件に
関してはな……

とにかく
今は小娘とビデオテープを手に入れる事で協力しあわないとな……
場所は盗聴で目星がついてるからな
プルルルッ
どこだ？
タワー銀行の貸し金庫だ
ザッ
すでに手下を張らせてはいるが……
私も今から直接探りを入れてみるつもりだ
待て！
なんだ？
アダムが今病院で死んだ……
ああ車から落っこちたヤツだな
無能なヤツが死んで良かったじゃないか

!
いい加減にしろ！このイタ公が!!
ヤツはオレの舎弟だった!!
やめろボブ!!
そうか……
お前があの無能チンピラを育てた張本人か
てめエっ!!

はっ!!
バキッ
くっ!!
バッ
シッ
ヒュッ
ちイっ!!
バッ
ドス
ッ
うオっ!!

やめろっ!!
ゴールディ
おっ……
無能な部下を飼ってるから……
ウォおお
おおっ!
絨毯《じゅうたん》を汚すはめになる……
ザイッ
次に私が来るまでに教育しとけ!
バムッ
く……

変装ォ？
これ全部道具？
ウィグにメイク用品にパッド類……
はてはラテックスからカラーコンタクトまであるけど
にしてもちょっと数が多すぎない？

はァーーい♪
黒髪のロングと赤のソバージュ持って来たわよォ♡
メイ！あんた仮装パーティーするんじゃないのよ
いーじゃない多い方が楽しくて
せっかく業界一のバリエーションを誇るチャイナタウンのリーおばさんから借りて来たのよ
こんな機会めったにないじゃない
……ミスティで着せ替え遊びするつもり？
ピンポーン♪
メイちゃんあのねェ……
年上の人にちゃんづけしないの！
え？

あら 言ってなかったっけ?メイって17歳よ
えーーっ!!
何よ そのオドロキはっ!!
さ わかったらメイクのお姉さんにまかせるの!
座って!
お姉…
……はい
145以下じゃないの?
とにかく貸し金庫が閉まるまでに行きたいんだから
あまり遊んじゃだめよ
はーい♪
──で

ビデオテープの内容は？
イタリアで撮影されたのが1本と国内でのが2本……
いずれも30分テープで役人との交渉場面よ
写ってる人物のデータとか裏帳簿とかの明確な証拠はないの？
……いえなかったわ8ミリテープ3本だけで……
マフィアがあれほど血まなこになるにしちゃ証拠が弱いわねェ……
大丈夫よ！細かく分析すればきっとすごい物が写ってるはずよ
それにしても……ラリーって変装しなきゃいけないほど顔をしっかり見られたっけ？
今日だけでカタがつくはずないからね……マフィア相手に顔を覚えられたくないわ

ゲッ
タレ目……
テープはファンデーションで消せるタイプよ
ビデオテープの持ち主って……
どんなコだったの？
ミスティが命がけの行動に出るくらいだもの……
ボサッ…
かなり親しかったの？
そう……ちょうどこんな髪型のブロンドのコだったわ……
ボサッ

ジャニスって言ってね……
笑うと目が一本線になっちゃうネコみたいなコだった
知り合ったばかりの頃はいじめられっ子でね……
見かねて助けてあげたのがきっかけだったわ
助けるたびにケンカ扱いで反省室に入れられたけど……
あたしに付き合うために室長をわざと怒らせたりしてたわ
ビデオはどうして？
そのコのお父さんが雑誌記者でね
撮影した後取材中に身の危険を感じてジャニスに3本のテープを託したのよ
それから父親は行方不明になって……1ヵ月後に死体で見付かったって……
ジャニスはテープに写ってた汚職ポリスをナイフで刺そうとして捕まって
プリズンに入ったの……

TOUCH!
──でその時ビデオは押収されなかったの？
うん……警察は信用できなかったからジャニスはだまってたわ
そして担当の弁護士を通して警察署長に用心のためのコピーの隠し場所を教えたの……
──でも警察は「そんなビデオは受け取ってない」……って？
ジャニスは……担当の弁護士が事故死したって話と一緒にそのコメントを聞いたわ……
ポタッ
11 12 1 2 4 5 6 7 8 9 10

コメントを告げた弁護士につかみかかったのをとがめられて反省室送りになったんだけど……
ポタッ
ポタッ
その晩あたしが反省室に入ったら……ジャニスはいなかったわ
階段　落ちたんだって……
首の骨折れたんだって!!
事故なんかじゃないわ！殺されたのよ!!
うっ……
ミスティ……
愛してたのね……
ラリー今回の相手はヤバすぎるわ……
!
やっぱりあたし一人で……
頼んでおいて悪いけど……

勘違い
しないで！
あたしはコブラを
撃たれたお礼に
ヤツらにケンカを
売るのよ
ラリーさまとも
あろう者が
同情心だけで
動いてたまる
もんですか!!
あ……
ウソ
ばっかし…
ありがと♡
ラリー！
きゃっ！

TOWER BANK
キッ!
!
ガッ

来たぞ!
ハンチングとグラサンで顔を隠しているつもりらしい
オレンジのジャケットにダークグレーのパンツだ
どうしますボス?
KXX 831
今のタクシーか?
はい 身柄を押さえますか?
いや出てきてからでいい……裏口は張ってるな?
はい
OKだ 第三者への接触に注意して地味にやれ!
了解

お出ましのようね……4台前の車から男が２人……
それと銀行入口むこうの柱の新聞・帽子男1名……
わかる？そんなの……
ほら……腕時計を見ずにラリーの後を銀行内に入っていったでしょ？
普通の人なら移動を始めるときには時計を見るものよ

んじゃ報告しなきゃ
チャコチャコッ
プルルルッ
チャッ
ツーッ…
はアーーい♪♡メイちゃんの情報コーナーどウえーーす
!!
がくっ
カモがおとり《デコイ》にひっかかりましたァ
行内《こうない》に入った帽子男に注意してね
もォ…
あとは出入口の左右に数十メートルの間を置いて男が2人待機してまーす
以上《オーバー》！
——でも男3人も相手にして……ラリー1人で大丈夫？
銀行を出てから手を出すはずだからいつでも動けるように車で待機してるのよ
心配ないって！
ガードマンや人目のある銀行内で事を起こすとは思えないわ
FBIに貸し金庫の事を教えたら……
ダメよ！

いくらFBIだからって絶対にマフィアの息がかかってないっていう保証はないわ！
まずはビデオを自分の手で押さえる事が大前提よ！
出てきました
ザッ
やれ！

OK 行ったわ!
ギャッ
さ 本命の出番よ
ジャッ
バコッ
!

チャッ…

!
ぱっ
こっちへ来なさいっ
ぐいっ

CHAPTER23 / END

CHAPTER 24
HANDICAP

こ……これで良かったん？刑事さん……
ああ協力を感謝するよ坊や……
はァ……
ほんとに殺人犯なん？
銃を持ってるだろ？
すっげェ！オレが捕まえたんやなァ
SONIC
ほれ 危ねェからあっち行ってな！
さ 来てもらうからな……

くっ……ポリスバッジまで用意して……
なんだァ
捕り物かよ
右手が上がらない……
さァおとなしく……
おい！
そいつはオトリだ！本命がさっき中に入った！
何い？
ばっ

ドザッ
!
トッ…
ヒザがくずれないうちに……
お……
指よ動けっ!!

角度を合わせて……
肩で落とす!
間に合うか!?
ドッ

バンッ!!
キン
キン
キンッ
バン
バン
ダーンッ
おっ!!……
きゃあっ
ポリに電話しろォ!

刑事《コップ》が2人撃たれた！
銃を持ってるぞォ!!
前に出ちゃいけませんっ
早く電話を！
ふんばれない……
この……!!
う…

くっ！……
ボンッ
あ……
ぐらっ……
キキッ
ドン
ガッ

何やってんのよラリー!!
ミニー・メイ!?!!
早く乗って!
チカッ
キャキャキャ
ザッ
バラララララッ
うおおっ!
バンッ
Illinois
MAY 117

ミスティが危ないわ！
は…
は…
え？
変装がバレてるわ！
1周して銀行入り口前にもどって！
OK!!
ダラララララララッ
ギュバッ
どうして……
「かわいいな」と言っただろう？
気に入った娘は変装してても見のがさんよ

君の仲間は私の部下がおさえている
彼女らの事が大事なら来る事だ
安心しろ! 君がたった今金庫から出してきたオリジナルビデオさえ手に入れば殺すつもりはない
プルルルルッ
ロイ刑事! ラリーさんから電話ですぅ
んー?
ロイ!?
今 ラサール通りのタワー銀行前よ! 大至急近くのパトをよこして!!
何だア!?
くわしい事は後で!! 武装マフィアが女の子をさらおうとしてるのよ!

何だと!?
失敗です
2人とも撃たれて……
ヤツらには車で逃げられました!
2人がかりで何をやってるバカ者ォ!!
ガムッ
だ……だましたのね!!
早く出せ!!
はっ!
グワッ
ガッ

キュキキッ
ガシャッ
きゃっ!!
ばっ
くっ!!
……
メイ!!
進路をゆずって!!

クオオオ……ン
ゴォ
ドラララ…
やばいんでないの？
ん……
ミニー・メイ悪いけど……
今すぐたのむわ
貸し金庫から今すぐ 例のビデオテープを出してきてちょうだい……
多分 今夜は取り引き戦になるわ
パパーン
フィーン
フィーン
フィーン

ビデオカセットがどこにもないだとっ!!
銀行の貸し金庫から引き出したはずだ
どこにかくした!?
言うもんですか!
どうせ今頃FBIにわたってるわ!
早く答えんと顔の形が変わるぜ!
ばっ

ガシッ
ミズ・ゴールディ!!
丁重《ていちょう》にあつかえと言ったはずだが……
なぐるしか能がないのか!!
ゴキッ
ひ!……

メリ……
ボキッ
あ……
さ……ミスティ安心していいぞ
私は気に入った人間に拷問《ごうもん》なんて非能率的なやり方をする気はない……
効率よく……が私のモットーだ

しかし……
よくもまァ女と一緒にテープを取られなかったもんだ
あの娘《こ》のキーはあたしのスペアでねあたしが契約した貸し金庫に移し変えただけだったのよ
最初っから面の割れてないメイちゃんが取りに行けばよかったんじゃないか？
それじゃヤツらと接触できないと思ったからよ
個人的なうらみでもあるのか？
しんど…
まァね……
でもヤツらが子供を使ったり変装を一目で見破ったりするとは思わなかったわ
ラリー・ビンセント一生の不覚ね……
SONY HG 90

──っと!ダビング終了っと……
じゃ　オレは大至急これを分析してみる
ガコ!……ウィィイイ
もし写っている人物の身元がオレの予想通りなら……
役人を敵に回す事になるわ……
ドサッ
令状なしで捜査を進めないと途中で圧力がかかるわよ
まかせとけ!地味な捜査はお手のものだ
ザッ
お前もしばらくは体に気をつけて動くんじゃないぞ
スタンガンのせいでまだ体が本調子じゃないんだろう?
ロイ……最後に一つ聞いておきたいんだけど……
ん?
予想通りの分析結果が出たとして……
そのビデオだけで起訴できる?

……無理だな 証拠としては 弱すぎる
バタン……
何だろ…… ヤツらは そんなもんの ために あそこまで……
ピロロロロロッ
チャッ
はい ビンセント……
フィアット500の お嬢ちゃん かい？
そろそろ 電話をかけて くる頃だと 思っていたわ
こちらの 情報収集力を みくびっていないのは 感心だな

ミスティの
身柄と
こちらのビデオを
引き換えという
わけかしら?
今　オリジナルの
8ミリが3本
手元にあるわ
いいだろう
それで取り引きと
いこうか……
今から　こちらの
指定する場所へ
2時間後に
来てもらおう
その前に
ミスティの
声を聞かせて
!
そりゃ
かまわんが
……
しゃべれるか
なア……
何ですって!!

ほれ!
ミスティ!
聞こえる!?
ミスティ!!
!
ラ……
ラヒィ……
来ちゃ……らめ
ビれオ……
公表ひれ……
ジャニスのからき
……うってェ……
お願《れが》い……
その娘に
何をしたの!?
色々と
聞きたい事が
あったんでな
……
少し薬を
使わせて
もらった
だけだ

なァに
後遺症が
残るほどじゃ
ない……
しかし!
今夜の取り引きが
成立しなければ
薬の量が増えるかも
しれん
ガセをかましたり
サツをからませたり
した場合……
ジャンキーが1匹
出来上がるわけだ

シャアアアッ
ギュッギュッ
グッ
グッ
キュッ
チャッ

ばっ
ブルブル…
スタンガンで握力も腕力も半分以下に落ちてる……
GRAY
マッサージぐらいじゃだめか……

1人で行くつもりじゃないでしょ？
！
ミスティが捕まったのはあたしの作戦ミスのせいだわ……
敵をおびき出そうとさえしなければ……
冗談じゃないわ！
変装を一発で見破られた以上メイク係のあたしにも責任はあるわ！
それに……
テープの秘密……わかったわよ！
え？
SONY
Metal HG60
Video8
CHAPTER24／END

APTER 25
ST BURNING
192

パァッ…
グッドイーヴニンッ!!
ラリー・ビンセント!
カッ!

カシッ
シャコッ
シキュッ
ばっ
さんざひっぱり回されて疲れたろう……
大丈夫か？
電話であれこれ指示されながら走るのはけっこうつらかったわ
しかも車をのりつがされて
そんな重～～い荷物を持ってるからだ
横にいる男に渡して楽になれ

こっちだ!
!
さ 渡して
もらおうか
ゴールディ! これはミスティとの 交換のはずよ!!
彼女の無事な姿を見せて!
いいだろう……
さ……
出ておいで!
ジャラ

ミスティ!?
安心しろ！薬は完全に切れてる
これは単に拘束具《こうそくぐ》のかわりだ
それにしても趣味の出しすぎじゃないかしら？
5千ドルもする服と込みで渡してやろうというんだ
感謝されてもいいぐらいだと思うが……
本人もうれし涙が止まらんらしい
う……
さテープを渡してもらおうか
くっ…

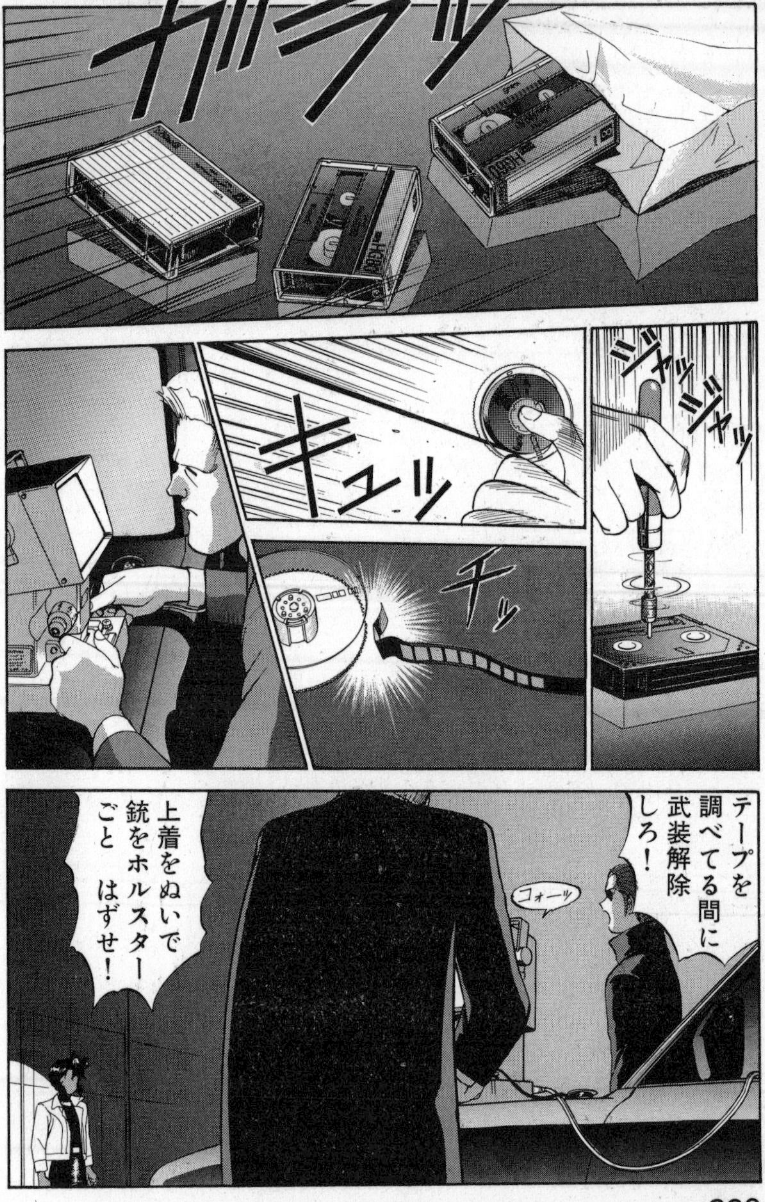
ガラッ
キュッ
ジャッジャッ
チッ
テープを調べてる間に武装解除しろ!
コォーッ
上着をぬいで銃をホルスターごと　はずせ!

ばっ
ザザッ・・
バザッ
ゴトッ
ドザッ
内ももと足の銃もはずせよ
ギクッ

バリーッ…
シュッ
シュッ
これでどう？
ゴツッ
OK！いい子だ

ミズ・ゴールディ本物です
3本分確認しました
取り引き成立ね！
ミスティをかえして！
いいだろう
スッ
チャッ…
！

ゴールディ……
そのテープは本物だってわかったはずよ マイクロフィルムのプリントだってしてないわ
わかってる お前らがここに来る間にお前の家を部下が調べさせてもらったよ
マイクロフィルムのプリントってのは特別の機材がないとできないずだが
お前の家には機材どころかプロジェクターさえなかった
それにしてもまァ
よくマイクロフィルムに気がついたもんだ
薬で聞いたところこの娘でさえ知らなかったというのに……
しかしビデオのダビングを人に渡したな!?
!!
そ それは!
OK!
それに関しては目をつぶろう! 証拠能力も低いしな

だったら このレーザーサイトを消してほしいんだけど
用心のためだ
ほら受け取れ！
メイ やつら撃つ気よ
わかってる……
頼むわよ
目をつぶって
チッ
ザッ

くっ!!
カセットのケースに

パシッ
急いで!!
ババッ
うおおっ
バババッ
バガガガガッ
チッ!
チャッ
電気全部つけろォ

パキッ
パキ
パキ
パキ
車のライトが……
何も見えん！早く電気を!!
ギュッ
!
ぐわっ

かっ！
ザッ
ババババッ
この下だ!!
おらアっ！
ババババババババ
ババババババ
ぱっ

あ……
シャコッ
ゴンッ
カァーン
パッ
パァァッ
パッ
シャコッ

ラリー・ビンセント！
ミスティの鎖をはずしてやるよ！
んっ!!
バッ
!!
ミスティ！

今のは鎖をとばす程度のオモチャだが……
次は5倍の量をしこんだ首輪をやるぞ！
私がスイッチを入れれば頸動脈《けいどうみゃく》は確実に吹きとぶ!!
じっとしてて
シュッ
パクッ
出てこなければ爆破する
ラリー時間をかせいで！
今出ていくわ!!
銃は左手でバレルを持ってゆっくりとだ!!

※バレル＝銃身

やってくれるなァ
テープカセットの中のすきまにC－4でもつめたか
マグネシウムをまぜたものにリモコンプラグを差してね
失明するかもしれないからその人を早く医者にみせた方がいいわよ
つめ物にも気づかんヤツが失明したところで気にやむつもりはないよ
う…

※C－4＝プラスチック爆弾の一種。ねんど状で爆発力大！

しかしまァ……
う……
く！……
一瞬のうちによくやったもんだ……
ザ…
本調子なら一人一発ですませてるわ
だからと言って変な気はおこすなよ
どけ！
指にかけたスイッチは何が起きても押せるぞ
ん……
動かないで！

銃を下に置いて
こっちに
けりとばせ
ゴトッ
ガシャ
ガラララッ
いい子だ
ごほうびに
花火をみせて
やるよ
ぐっ…
ガッ
ミズ・ゴールディ
大変です！
そちらの倉庫に
パトが向かって
います！
何イ!?
そちらから
無線以外の
電波が発信
されてます！
すぐ逃げて
下さい！

ラリーっ!!
ぱっ
!
ヒュッ
カキッ
ジッ……
しまっ……
バンッ

くっ！……
この！……
ザザッ

はアっ!!
ゴッ
あっ……
ザンネン

ダッ
何ィ!!
ドドーン
ドドドーン
ドドーン
ドドーン

ばしっ
デニス！
どっ
すぐにフィルムを回収して車を出せ！
……まだ目が

ハンドルは持ってやる!
早くしろ!
くっ!!

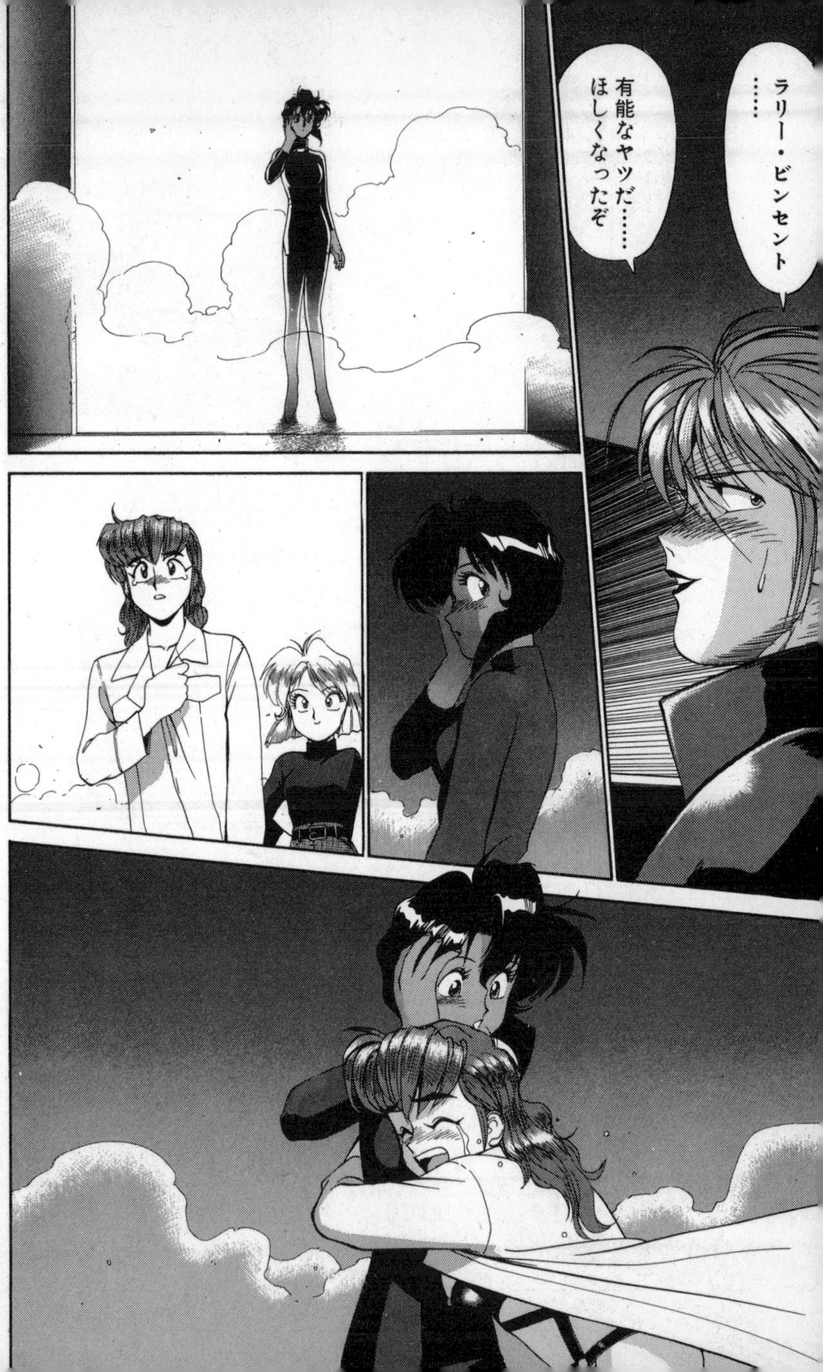
ラリー・ビンセント……
有能なヤツだ……ほしくなったぞ

CHAPTER25／END

こうして本が出せたのも…

みなさんのおかげです

Staffs' notes③

コメンテーター＝園ヤン

▶遠藤浩(熊谷はくしょん会)

◎脱サラアシスタント．遠藤 浩です．始めまして…
僕が初めて体験するプロ漫画家の現場は．
真に戦場だった。その真っただ中で戦う
園田先生のパワーに．僕はただ「うわあ」と
言うのがせーいっぱいです。
とにかく．僕もまだ勉強中ではありますが．
何事にも替えがたい経験をさせてもらっている
と思ってまります。
今後ともよろしくお願いします．としか．今の僕
には言えません。 …ムムム….

黒のタートルネックにサファリのホルスター…いわゆるブリットファッション
ん～？
だーっ！

元々ドカチンなガテン野郎であった彼も，今ではリッパな業界人。SUEZEN氏のアシもしてるぞ。

▶ことぶきつかさ(トーンの鬼)

◎いよいよG.S.Cも3巻目を迎えましたねー♪ 連載の
方も好調のようで．毎回楽しんで読ませていただいとります♪
自分が参加していた頃は．どうしてもストーリーより絵に頭がいってしま
ってあまりマンガとしては楽しめなかったのですが(アシスタントの性って奴
ですね)最近はようやく物語として楽しめるように戻りました…笑♪
そういえば4巻の時はもうオイラ載らないんだね…♪

◎最近のG.S.Cってさ
ドンドンファンドンやらしくな
ってるよね♪ もっと早くから本
性を出してくれればもっと沢
山凶なトーンワークが楽しめたの
にな――っ♪ 残念!!

RALLY・VINCENT
◀REBEL・S, MADE IN KOREA.
寿司

◎オイラが思うにラリー・ビンセントの肌の色は
少しずつ白人に近づいているようだ♪ モノクロでは
相変わらずレトラ10%であるが、カラーでは何となく
茶→肌色に近づいてると思う♪ この調子だと10巻
くらいでマイケル・○ャクソン顔負けの白人となるのでは
ないだろうか!? 関係無いけど《肌色》って言葉はちょ
っと問題ありありのなしなしだよね(笑)♪ ことぶき つかさ

21話まで(単行本では20話)までを手伝ってくれたナイスガイだ。彼のガンダムマンガはチェックしたかな？ コミックハウスの方でも仕事してるから要チェック！(PC山賊版だぞ。)

▶夢野れい（電撃王要チェーック！）

どーーーーも
臨時アシの夢野です。
私は車も銃もダメなので
何かとご迷惑おかけしました
ところで
今のG・S・Cの舞台
は主にシカゴだが、
信頼できる情報筋に
よると次は宇宙に行く
らしーぞぉーー。
これはその想像図だ
YUME
SUPER C3
RESCUE
GO AHEAD
MAKE MY DAY!

行かねェってばよ！ しかしこのビーンのデザインはキテるよなァ……。グッドデザイン賞をあげよう！

▶平沢孝（ラジコン絵師……？）

補充兵《イラストレーター》のヒラサワです カラ…
東京の
・司令部《アフタヌーン》の命令では「ベタと集中線とトーンハリだけですよ!!」
と言われて、ここ最前線へやってきたのはいいが、クルマの
ホイールを描いたり、倉庫の天井を描いたりビデオテープを描いたり
と、まるでここはガダルカナルだった…。撤退命令は出るのか!?
・本来 私はアシもコミックも経験の無い人なので園田センセの
両足を引っぱりまくっている。（ゴメンナサイ）
・園田センセは仕事以外はとってもやさしい
人だ。頭痛で苦しむ私に薬を買ってきて
くれたり「めんつゆ」のビンで目ン玉を冷やして
くれたり、寝ている私にセーターをかけてくれたりと…
お見せできないのが残念です。ウソじゃないってば♥
ジャムって ふるヒラサワ
ホントは ブレンガンの方が好きかも
平沢進 ハカセから
「マッキントッシュなんかを
買ったら平沢家のハジだ」
と言われて、現在 困り果
てている…。平沢一族は
アミーガなのか？…
・でも、やっぱり他人様の原稿は 手伝っていて
コワいモノがある。自分のつまらねーマンガの方が楽だ。
・これからも GUN SMITH CATS はガンガンいきまっせう…
カン4ガイの主催 平澤孝 なのですカラ…

私（園田）とは仕事上つき合いのあるダーツという会社で「オーガン」というアニメが作られた事があるのだが，それの作曲をしてた平沢進という人は，実は彼の親せきだったりする……世間はせまい！

▶田巻久雄（コミックゲーメスト）

園田さん
とはMig.Con（88SF大会）へ
向う汽車の中で会ったのが
最初だったと思いますが……
（あまり定かでない。）当時、私は
山本貴嗣先生のアシでした。
人気のガンスミスキャッツは
このまま続けてもらうとして、
時々"SF"少年マンガ（青年でもすよ）
も描いて下さいね。ライトスタッフみたいな。
［ムーンベース2099…］
"有り物知らず"の手使い人
田巻久雄
"も"だな。
くるまを知らんで困った困った。

彼のマンガの主人公は“ダッシュ＝ブレイカー”だが，彼自身は“雑誌ブレイカー”らしい……。マシンヘッドにコミックジャスティス……ゲーメストは大丈夫か？

▶西野司（ショコラの大冒険）

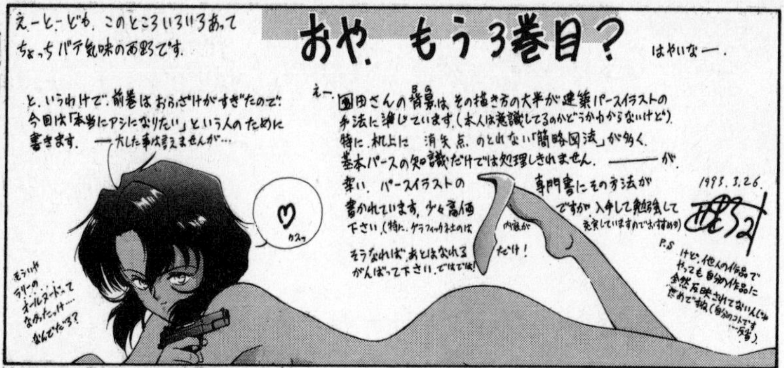
えーと、ども。このところいろいろあって
ちょっちバテ気味の西野です。
おや、もう3巻目？
はやいなー。
と、いうわけで、前巻はおふざけがすぎたので、
今回は「本当にアシになりたい」という人のために
書きます。 ―大した事は言えませんが…
えー、園田さんの背景は、その描き方の大半が建築パースイラストの
手法に準じています。(本人は意識してるのかどうかわからないけど)
特に、机上に 消失点、のとれない「簡略図法」が多く、
基本パースの知識だけでは処理しきれません。――が、
幸い、パースイラストの
専門書にその方法が
書かれています。少々高価ですが、入手して勉強して
下さい。(特に、グラフィック社のは内容が充実していますのでおすすめ)
そうなれば、あとはなれるだけ！
がんばって下さい。ではでは！
1993.3.26.
P.S けど、他人の作品でやっても自分の作品に全然反映されてないんじゃだめですね(自分のコトです…反省)
そういや ラリーのオールヌードってなかったっけ… なんでだろ？
カスッ

ラリーのオールヌードはあるぞ！ よく見ろってばよ!! チクビも描いたし，○○も描いた事がある……。それはそうと，氏の単行本も早く出て欲しいものである。たのんますよ！ 角川さん！ それから……。

▶中村一姫（ゲーム背景師）

祝ガンスミスキャッツ第三巻発行
むむう 困った。慣れてないもんで
こーいう場合何を書いていいか見当が
つかないぞ。しまった。ロットリングが
死んでいる。ああピグマもだめだ。
あ。インクも見当たらないぞ うううう
どうしよう。 園田さんの所では
失敗の記憶しかないしな。イスごと
ころんだりもしたな。 うううう困った。
何はともあれ 3巻発行おめでとうございます。
これからもお体に気をつけてガンバって下さい。
乱筆乱文失礼。
アシスト回数 3回 非常勤 中村一姫

彼の髪は長い。異状に長い！ うしろでタバねてあるため，マジでウマのシッポである……ああっ，引っぱりたい。

▶宝谷幸稔（電撃王クリスタニアさしえ絵師）

・ラリーはメタリックシルエット競技は好きかしらん？ 動物の形に切り抜いた鋼板標的を50～200mから撃ってぶっ倒すというアメリカ人好みのゴーカイなゲームだ。
・スターム・ルガーの今はなきブラックホーク.357マキシマム。
新カートリッジで高初速を獲得する為、カーボンの汚れ吹き飛ばす程 シリンダーギャップをタイトにしたら、→
→吹き出すガスでフレームがえぐれ、メーカーに回収されてしまった。マヌケだけど好きな銃だな。うん。
メイちゃん そんなとこに居ると危ないよ。
3巻めだゾ!!と。
(古いなあ)
個人的に大好きだった「愛してるぜぇ、ラリー・ビンセント！」のグレイと、子供を無条件でかばうビーン。園田センセのマンガは男も女も強くてあこがれちゃうね。次ももっとあぶなくてH《エッチ》でかっこいいぞ!!
果たしてスリム&タイニーなキャット皇はグラマラス&パワフルなゴールディ姉ちゃんに太刀打ちできるのか？ 待て！次巻！
宝谷幸稔でした。
'93.3.26
ラリーのおみ足を守る2枚の皮マットも、10発も撃てば穴があいたそーな…。

彼は実は「エンゼルコップ」の仕事なんかもしてたりする，ナゾのアニメーターだ。

▶岡昌平（キャプテンの機神兵団）

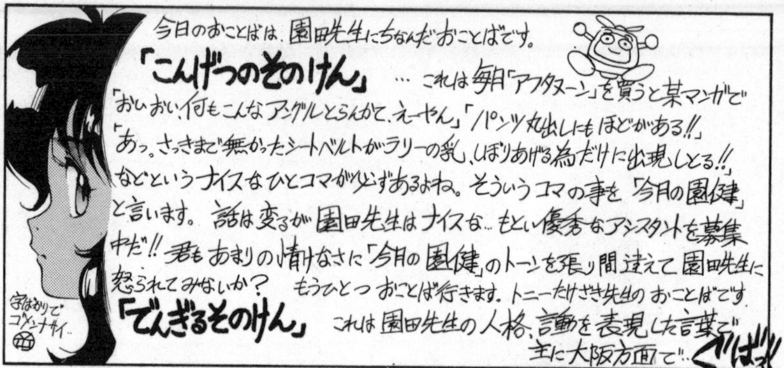

キャプテンで描いている彼だが，アニメと比べるとオリジナルな部分が多くて，色々と楽しめるぞ！ところで読者の方の中で，10年以上前に少年サンデーに載った「ゴールドクラッシュ」を知ってる人は？

▶琴義弓介（キャンディタイムだ！）

同人界の一部でカルト的な人気を持つ彼だが，本人はけっこうマトモ。しかしヤクをやりながら描いたとしか思えないようなぶっ飛んだ作品を出したりするからあなどれない……チェックだぞ！

▶熊谷直喜（テクノポリス読者ページ）

彼はこの夏，とある雑誌でデビューの予定らしい。ペンネームはそのままらしいから要チェックだ！

「GUN SMITH CATS」第3巻は、アフタヌーン'92年7月号から'93年3月号に掲載した作品に、この単行本の為、特別に描き下ろした作品を加えて編集しました。
編集部では、この作品に対する皆様の御意見・御感想をお待ちしております。
また、今後「アフタヌーンKC」にまとめてほしい作品がありましたら編集部までお知らせ下さい。

東京都文京区音羽二丁目十二番二十一号
〈郵便番号一一二—〇一〉
講談社「アフタヌーン」編集部
アフタヌーンKC係

アフタヌーンKC—60
GUN SMITH CATS《ガンスミスキャッツ》③
一九九三年　四月二十三日　第一刷発行
一九九五年　四月　二十日　第四刷発行
（定価はカバーに表示してあります）
著者　園田健一
発行者　山野　勝
発行所　株式会社講談社
東京都文京区音羽二—一二—二一
郵便番号　一一二—〇一
電話　編集部　東京(〇三)三九四五—九一五五
販売部　東京(〇三)五三九五—三六〇八
講談社
印刷所　廣済堂印刷株式会社
製本所　株式会社堅省堂

ISBN4-06-314060-1（モ）　Printed in Japan